JN152363

ぞくぞく村の

魔女(まじょ)のオバタン

末吉暁子・作　垂石眞子・絵

ぞくぞく村のおばけシリーズ・2

雨ぼうずの家
びしょびしょ丘
おしゃれおばけの家
魔女のオバタンの家
ミイラ男のこっとう屋
もじゃもじゃ原っぱ
べろべろの木
ゴブリンの家
おばけかぼちゃ畑
とんとん橋
ひそひそ川
吸血鬼の家
ぱかぱか森

これが、
ぞくぞく村でーす。
雪女の家
おけら山
ちくちく森
おおかみ男の家
ひりひり滝
かたかた橋
ぬるぬる池
にこにこ
ぷんぷん
めそめその
花畑
ぞくぞく劇場
ぞくぞく小学校
美術館

〈**ぞ**くぞく村の　ゆかいななかまたち〉

おふろの好きなミイラ男と、おくさん。

「あとで、ほうたいまくのがめんどうだけど……」。

入ればのドラキュラ吸血鬼。
「入れふあがはふれた。
ふがふが。」

さむがりやのとうめい人間と、
おくさん。
「ズルーッ、はな水たれた。」

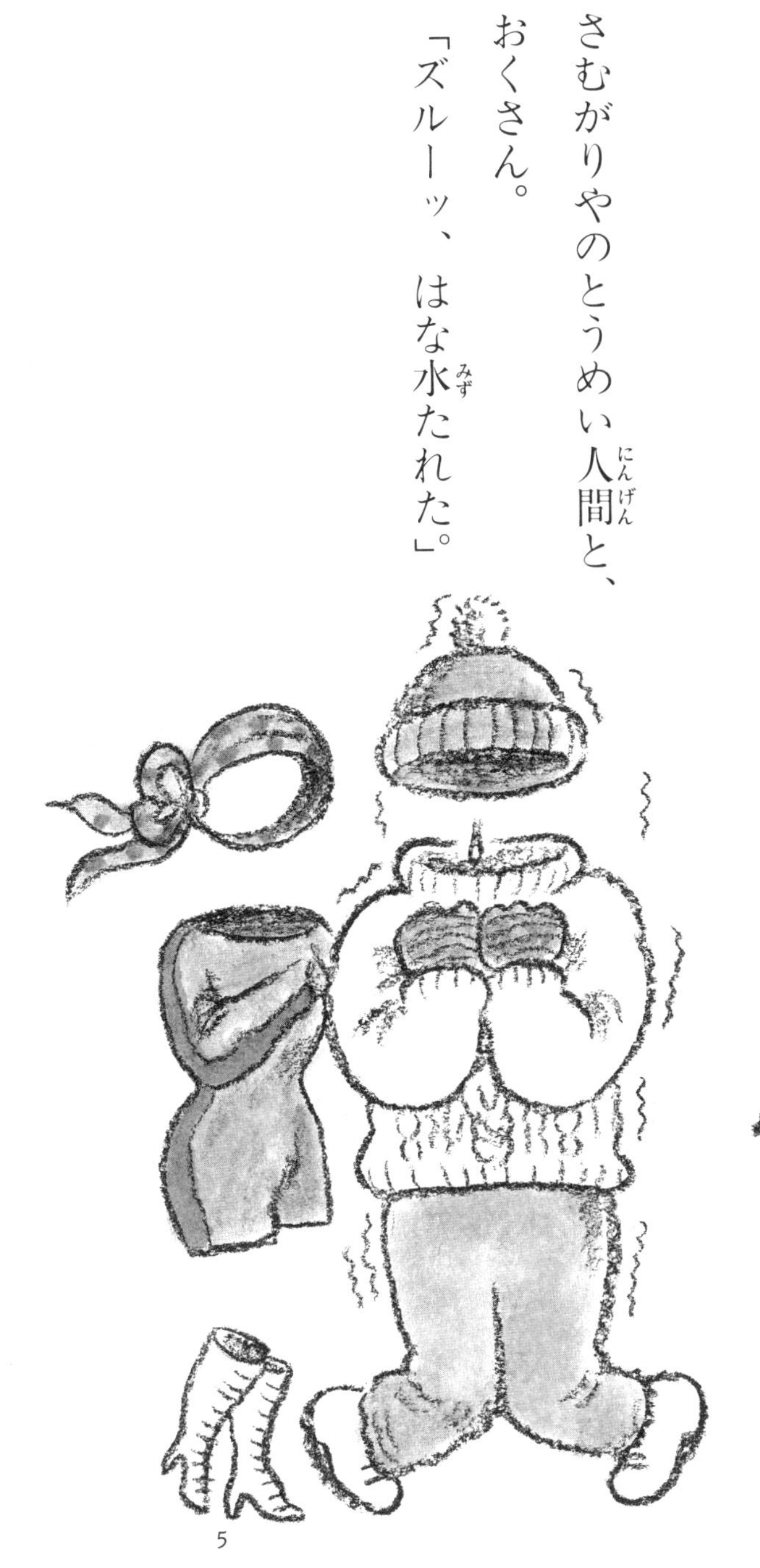

かつらをかぶったぬるぬる池の妖精。
「お気に入りは、緑のかつら。」

おしゃれなおばけのおじいさんと、
三人のまごむすめ。
「どのネクタイが、にあうかな。」

ほうきにのれない魔女の
オバタンと四ひきの使い魔。
「あいたた！」ドスン！

そのた、大ぜい。

まんまるお月さまが、ぐずぐず谷のま上にのぼってくるころ、魔女のオバタンも、おきだします。

おき上がったとたん、かべにはったはり紙が目に入りました。

そうです。

これは、オバタンが、なんとか、ほうきにのれるようになりたいと、ねがいをこめて書いたはり紙です。

このオバタン、魔女のくせに、ほうきにのれないんですよ。

そりゃ、ほかのことは、なんだってできます。

元気いっぱいの人を、ある日とつぜん、かぜで、うんうん言ってねこませることだってできます。

きらいなやつの、けっこん式の日に、ひきがえるをふらせることだってできます。

薬草をにて、わらい薬を作るの
なんか、朝めし前。

ねずみやもぐらとも話ができま
すし、花や木の考えていることだ
って、わかります。

でも、でも、くやしいことに、ほうきにだけはのれないんです。

もちろん、こっそりれんしゅうしてますとも。

そのしょうこに、ほら、ポッキリおれたほうきだの、ばらばらになったほうきだのが、うら庭に、山とつんであるでしょう。

これ、みいんな、オバタンがれんしゅう中に落っこちて、だめにしたほうきなのです。

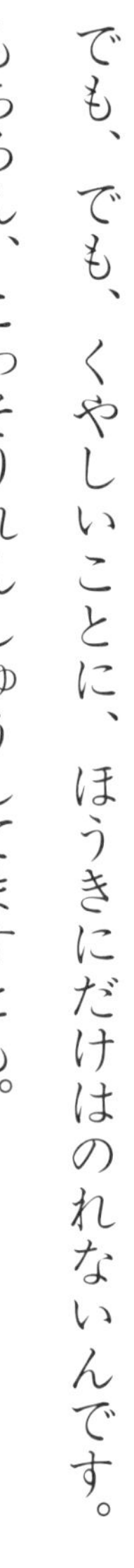

「うんにゃ、オバタンだって、きっとほうきのりの名人になって
やる！」
オバタンは、そうさけんで、ベッドを飛び出しました。

「さあ、さっそくれんしゅうだ。その前に、ちょっとトイレ」。

トイレのかべにも、はってあります。

それから、はらごしらえです。おなかがすいてたら、運動はできませんもの。

とりかぶととパセリとてんぐたけの、あぶらいため。

人がたパンを、モリモリ、パクパク、

食べるわ、食べるわ、三十六こ。

たんぽぽコーヒーを、三ばい。

コーヒーカップにも、

やかんから出(で)てくる湯気(ゆげ)も、

食事がおわると、いよいよ、着がえです。

頭には、ヘルメット。

かたには、かたパッド。

大きなおしりには、左右にざぶとん。

その上から、ジョギングパンツをはきました。

「さあ、行くわよ。アカトラ、ついといで。」

オバタンは、新しいほうきをつかんで、ねこのアカトラに言いました。

ふつう、魔女のねこと言えば、すらりとやせた黒ねこですが、オバタンのばあい、でぶっと太ったアカトラです。

仮免中

アカトラは、なさけない声で言いました。

「きょうは、かんべんしてくださいよう。このあいだ、ほうきがちくちく森につっこんだときに、前足のつめがはがれて、このとおりです。」

アカトラの前足は、グローブみたいにはれあがっています。

「しようがないね。じゃ、こうも りのバッサリ。きょうは、おま

えがついといで。」
「ごかんべんを。見てください。
このつばさ。」
こうもりのバッサリがつばさを
広げると、大きなばんそうこうが、
バッテンじるしにはってあります。
「そうか、おまえも、こないだ、
ほうきにのってて、けがしたん
だっけ。しようがないね。だれ
か、元気なやつは、いないのか
い。」

オバタンは、へやの中を見まわしましたが、シーン。

ひきがえるのイボイボは、せなかのいぼいぼがすりきれて、ひりひりいたいし、とかげのペロリは、しっぽがちぎれたまんまです。

みんな、オバタンと目をあわせないようにして、あっちむいたり、そっぽむいたり、あさっての方を見たりしています。

「ちぎれたしっぽは、ほっといたって、またはえてくる。ペロリ、おまえ、ついといで。」

「わあん！」

かわいそうに、しっぽなしとかげのペロリは、いやいや、オバタンのほうきのりのれんしゅうに、つきあうはめになりました。

仮免中

「オバタン！　オバタン！　きょうは、このぐずぐず谷の中だけにしとこうね。遠くに行くのは、やめようね。」

こわがりやのペロリは、こわごわ、ほうきのほさきにつかまりながら、言いました。

「なあに、言ってるのよ。こんなせまっくるしいところで、れんしゅうできるわけないじゃない。オバタンのもくひょうはね、あのお月さままで行って、かけらをとってくることよ。そしたら、クッキー作って食べるんだ。あんたにも、ひとかけ、あげるから、さ。」

オバタンは、元気よくじゅもんをとなえて、出発じゅんび。

ペロリは、目をつぶって、ほうきにしがみつきました。

仮免中

ブツクサ　ブツクサ
グチグチ　ネチネチ
イジイジ　グズグズ
ブーブー　ドカン！

そうれっ！
オバタンは、地面をけって飛び出しました。
が、「あれれ？」
ほうきは、その場にぱったりたおれて動きません。
オバタンだけが、ごろりんところげて、一回転！
「しまった。じゅもんをまちがえたんだ。やりなおし。」

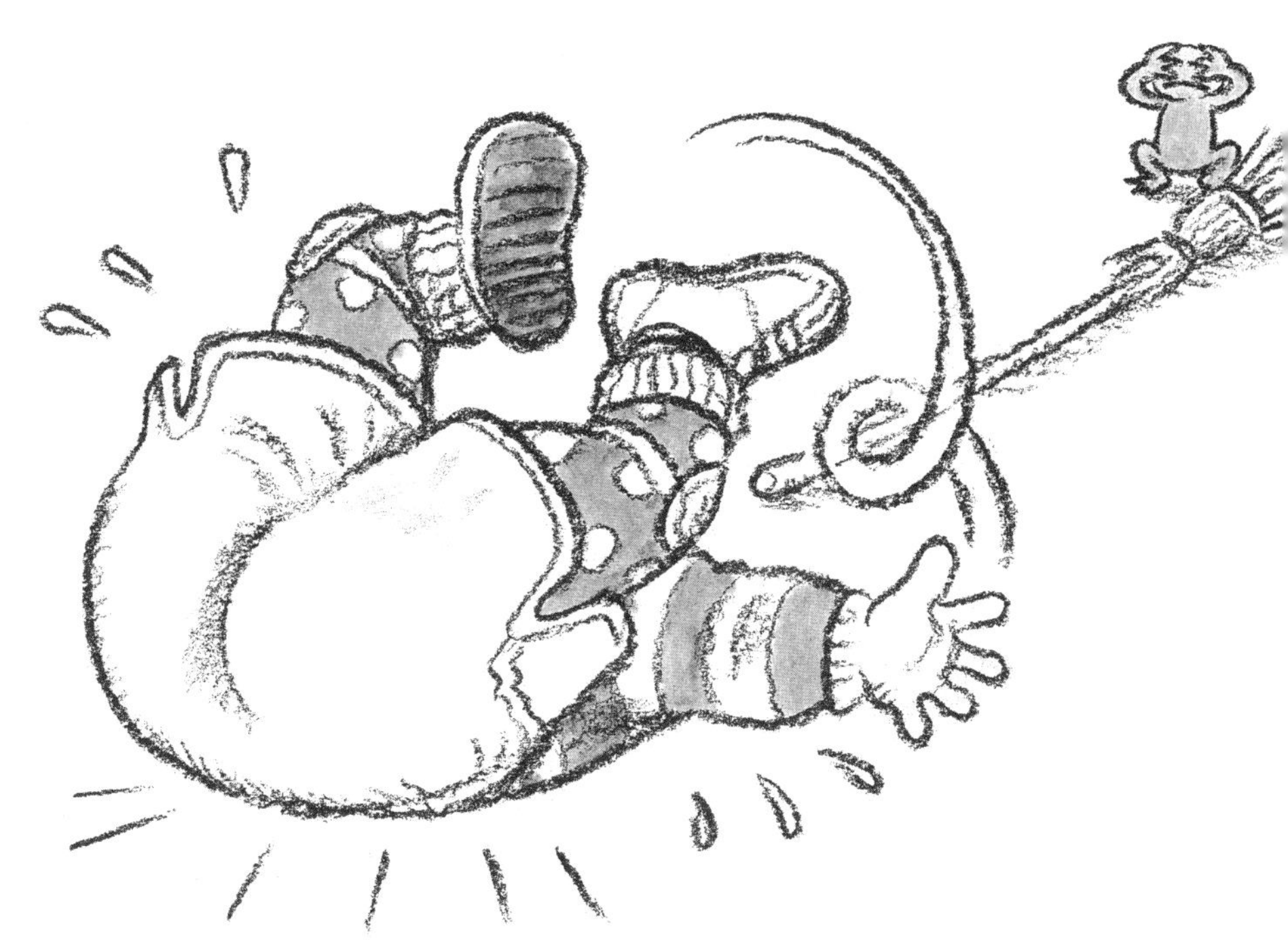

ブツクサ　ブツクサ
グチグチ　ネチネチ
イジイジ　グズグズ
ガーガー　ギャーギャー
ブーブー　ブータラ
ガミガミ　ドカン！

こんどは、まちがえないで言えました。

ほうきは、どっこらしょっと持ち上がり、重そうに、オバタンをのせて、飛びはじめます。

でも、右へ左へ、上へ下へ、よろりよろり。オバタンにも、どこへ行ってしまうか、わかりません。

「オバタン！　しっかりほうきをつかんで！　行きたい方向と、はんたいの方へ、からだをたおすんだよ。」

ペロリがうしろで、ひっしにどなると、オバタンもうしろをむいて、どなりかえします。

「それができれば、くろうはないのっ！　かんたんに言ってくれるな、つうの！」

「ああっ、よそ見しないで！　し

っかり前見て！　こわいよう、
こわいよう。」
ペロリがなきさけぶのにもかまわず、オバタンのほうきは、ぐらりぐらりと上がっていき、とうとう、ぐずぐず谷から飛び出しました。

「ひそひそ川が、見えてきたわ！」

月あかりにてらされた川のほとりを、ミイラのラムさんと、おくさんのマミさんが、さんぽしています。

「ヤッホー！　ホーッホッホッホイ！」

オバタンは、とくいになって、かた手をふってごあいさつ。

とたんに、ほうきがぐらりとかたむきました。

「おっとっと！」

あわててほうきのえを、つかみましたが、オバタンのほうきは、なんだか、どんどん落ちていきます。

「あぶない！　こっちへつっこん
　でくるぞ。」
　もっとあわてたのは、ミイラの
ラムさんです。
「ふせろ！」
と、おくさんを地面におしたおし、
自分はドボン！　と、ひそひそ川
に飛びこみました。
「ごめんよ！」
　オバタンは、ほうきのほさきを
川の水に、ビチャンとつっこんで、

あぶなっかしく通りすぎていきました。

「あっ、ぬるぬる池が見えてきた。どれ、ひとつ、妖精のレロレロにも、あいさつしていこうかな。」

よいしょっと、ほうきを、ぬるぬる池の方にむけました。

「イヤッホー！　ホーッホホイのホイ！」

オバタンがさけぶと、妖精のレロレロが、びっくりして、池から顔を出しました。

ほうきは、ひゅう、よろり、ひゅう、よろりと、ぬるぬる池に近づいていきます。

「あら、魔女のオバタンだわ。ヤッホーッ。」

にこにこして手をふっていたレロレロは、とちゅうから、顔色をかえました。

オバタンのほうきが、よろよろしながら、自分の方につっこんでくるではありませんか。

「きゃあっ！」

とさけんで、ぬるぬる池にもぐったのですが、長いかみの毛の先っぽが、ほうきにひっかかってしまいました。

オバタンは、足の先っぽをぬらしてしまいましたが、なんとか、池に落っこちないですみました。

ほっとしたとき、うしろで、レロレロのさけび声がしました。

「あたしのかみの毛、返してえ！」

ふりむくと、ほうきの先っぽに、レロレロの緑色の長いかみの毛が、くっついたまま。

レロレロは、まるぼうずです。

「あら、あの人、かつらだったんだ！」

「ごめんね、レロレロ。」

ペロリは、ようやくかつらをはずすと、ぬるぬる池めがけて、投げ返してあげました。

「オバタン！　オバタン！　これいじょう、みんなにめいわくかけないうちに、帰ろうよう。」

ペロリは、はずかしいやらこわいやらで、しっぽどころか、頭もちぎれてしまいそうです。でも、オバタンはへいちゃら。

「もうちょっと。もうちょっと。だんだん、うまくなってきたじゃないの。ほら、どっきり広場が見えてきた。」

どっきり広場は、本屋さんや、くつ屋さん、おしゃれなブティックやカフェテリアの立ちならぶ、いちばんにぎやかな所です。

今夜も、おしゃれおばけのおじいさんが、三人のまごむすめをつれて、ブティック「びっくり箱」で、買い物をしています。

おおかみ男は、本屋で立ち読み。

ドラキュラ吸血鬼の親子は、くつ屋でくつえらび。

そこへ、オバタンのほうきが、ひゅう、よろよろ、ガックン、ひゅう、よろよろ、ガックン、ひゅう、よろよろ、ガックンと、近づいてきました。

「ヤッホー！　ホーッホホイのホイ！」

オバタンが、ほうきの上からあいさつすると、みんな、空を見上げました。

「あっ、魔女のオバタンだ！」

「ほうきにのって、飛んでくるぞ。」

「あぶなっかしいもんだ。気をつけろ！」

口ぐちに言っているうちに、オバタンののったほうきは、きゅうに、ガクガクッとつんのめりました。

「あぶない！」

「落ちてくるぞ！」

「にげろ！」

どっきり広場は、右へ左へ、にげまどう人たちで、大さわぎ。

オバタンだって、ひっしです。

「そっちじゃない！　そっちじゃない！」

いくらさけんでも、ほうきはちっとも言うことを聞いてくれません。

まっすぐ、ブティック「びっくり箱」につっこんでいきます。

「わあ、ぶつかる！」

思わずオバタンが目をつぶったしゅんかん、ほうきは、「びっくり箱」のかんばんをはねとばして、飛んでいきました。

ブティック
びっくり箱

このかんばんには、おしゃれな女の人の全身の形が、くりぬいてあります。

空にはね上がった大きなかんばんは、くるりくるりと、まいおりて、広場のまん中に、ガシャーン、と落っこちました。

「ふうう、あぶなかった。」

「もう、ぼく、いやっ！」

とかげのペロリは、なきだします。

「わかった、わかった！　それじゃ、

もう、ぐずぐず谷に帰るからさ。
しっかり、つかまってるんだよ。」

オバタンは、ぐぐうっとからだをよこにたおして、方向てんかん。

「あれえ、ちょっとたおしすぎた」

オバタンのおしりは、かんぜんにほうきの上からずり落ちて、今や、両手とかた足でやっと、しがみついているありさまです。

「あわ、あわ、あわ、たすけてえ！」

「オバタン、あぶない！　べろべろの木にぶつかる！」

ペロリがさけんだときには、もうおそく、オバタンとほうきは、ドーンと、べろべろの木にぶつかっていました。

べろべろの木の根もとに、ひっくりかえってのびてしまったオバタンの上に、べろべろの実が、ばらばらと落っこちてきます。

「たいへんだ！」

「じしんだあ！」

べろべろの木の根もとにすむゴブリン一家が、げんかんから、飛び出してきました。

ゴブリンのところには、さいきん、七つ子の赤ちゃんが生まれたばかり。

ゴブリンとおくさんは、ギャーギャーなきさけぶ赤ちゃんたちをおんぶしたり、だっこしたり、頭

にのっけたり、足でころがしたり、
たいへんなさわぎです。

「あれま、じしんかと思ったら、魔女のオバタンが、ぶつかったんだ。」

「いつまでたっても、ほうきのりがうまくならないのねえ。」

「家まで、はこんであげなくちゃ。」

「こんな重たいオバタン、とても持ち上がらないわ。」

「だれか、よんでこよう。」

ゴブリンは、どっきり広場まで行って、みんなをよんできました。

「そうれっ！」

「どっこいしょ！」

みんなでオバタンを持ち上げて、大きなたんかにのせましたが、
その重いこと、重いこと。

「こんなに重くて、よく、ほうきが持ち上がったこと」。

「これじゃ、ほうきがかわいそうだ」。

「わしらだって、かわいそうだ。おちおち、外も出歩けん」。

みんなで言っていると、どこかでかぼそい声がしました。

「ぼくだって、かわいそうですよう」。

べろべろの木のえだにしがみついて、ふるえている、とかげのペロリでした。

つぎの夜も、オバタンはまだ、せなかやおしりがいたくて、おき上がれません。

ベッドでうんうん言っていると、

ドン、ドンドン！

げんかんに、だれかがやってきました。

「ちょっと、だれか、げんかんに行って、見てきておくれ。」

オバタンに言われて、こうもりのバッサリが、げんかんまで飛んでいきました。

のぞきまどからのぞいてみると、立っているのは、ミイラのラムさん、ぬるぬる池の妖精レロレロ、ブティック「びっくり箱」の主人のとうめい人間、それにゴブリンのおやじです。

みんなみんな、ほうきにのったオバタンに、ひどい目にあった人たちばかり。

「たいへんだ。みんながおこって、もんくを言いにきたんだ。どうしよう。」

オバタンは、ふとんをかぶってねたふりをしたのですが、だめです。

もう、どやどやと、へやの中まで入ってきてしまいました。

オバタンが、そうっとふとんの下から目だけ出してのぞいてみると、みんなは、ブティック「びっくり箱」のかんばんを持っています。

オバタンが、ほうきではねとばした、あのかんばんです。

「わあっ、きっとあのかんばんで、なぐられるんだ。ごめんよ。かんべんしてちょうだい！」

オバタンは、ますますふとんの中(なか)にもぐりこみました。

すると、ゴブリンのおやじは、ぱっと、ふとんをひっぺがして、言(い)いました。

「魔女(まじょ)のオバタン！　あんたは、ほうきにのって空(そら)を飛(と)ぶには、太(ふと)りすぎなんだよ。」

ブティックの主人(しゅじん)のとうめい人間(にんげん)も、ドン！　と、かんばんを立(た)てて言(い)いました。

「このかんばんをくぐりぬけられるようになるまで、ほうきにのってもらっちゃ、こまる！」

ブティック
びっくり箱

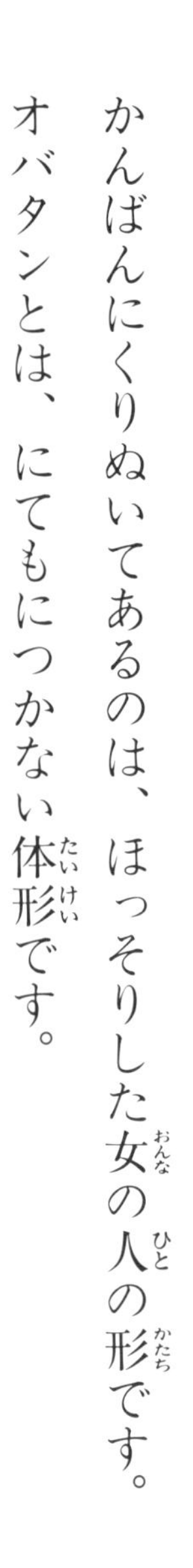

かんばんにくりぬいてあるのは、ほっそりした女の人の形です。

オバタンとは、にてもにつかない体形です。

「こ、こんなにやせるの、むりだよう！」

オバタンが、なきそうな声でさけぶと、アカトラや、イボイボや

ペロリたちが、いっせいに言いました。

オバタンはできる！
やるっきゃない！

その日から、オバタンのもうれつなたたかいがはじまりました。

ジョギング。

なわとび。

体そう。

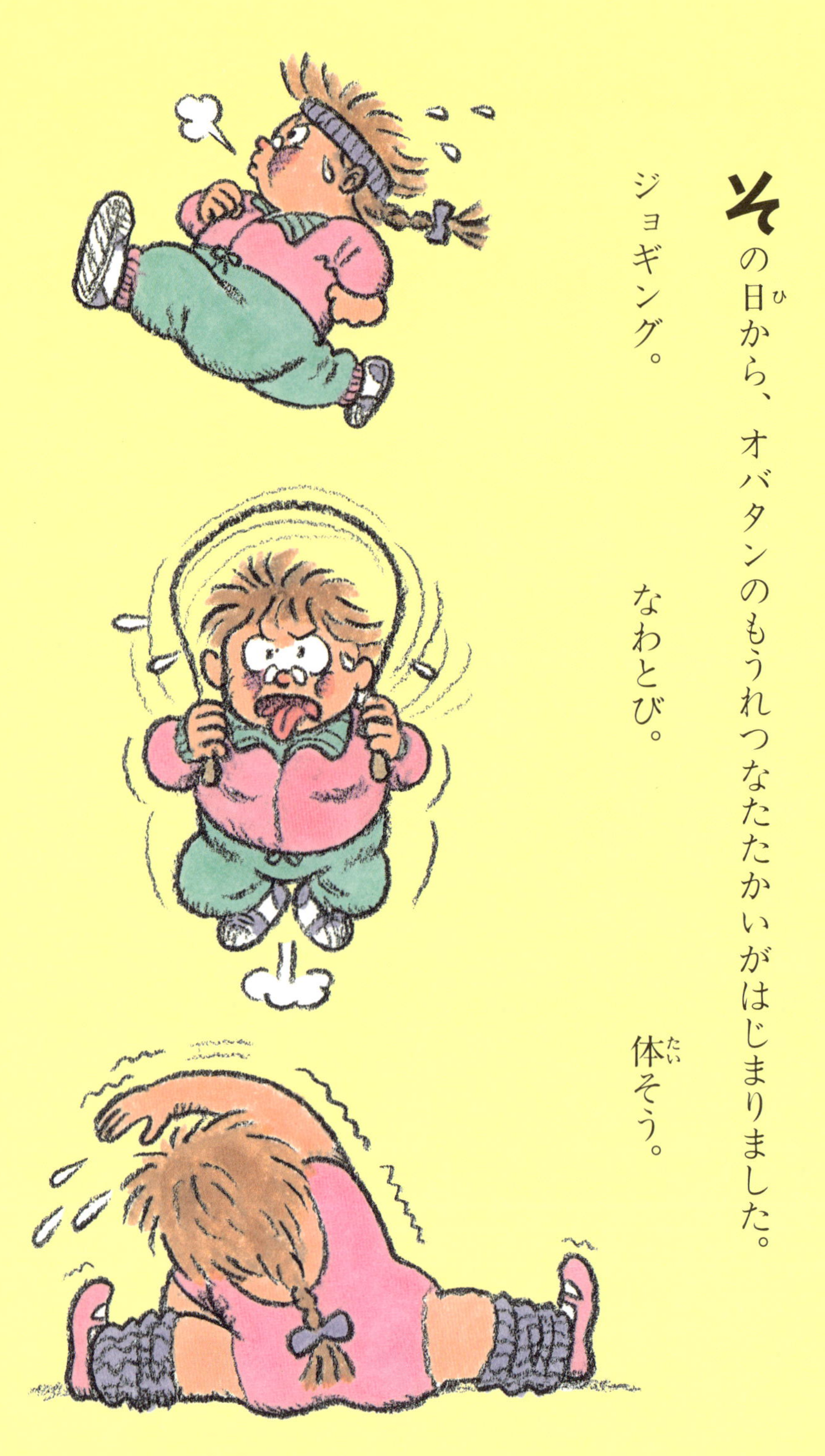

むしぶろ。

食事(しょくじ)も、サラダと
にんじんジュースだけ。

「もう、やーめた。あほらしい。」

そう言って、オバタンがなにもかも投げ出しそうになるたび、四ひきの使い魔たちは、はげましました。

「がんばろう！」

そうして、百日目、オバタンは、とうとう、ほっそり人形をくぐりぬけたのです。

「やった！　やった！　これで、また、ほうきにのれるわ。」

おそるおそる、ほうきにまたがって、じゅもんをとなえてみると、どうでしょう。

かるいこと、かるいこと！

すうい、すういと、思ったとおりに、飛んでいくではありませんか。

ちゅう返りだって、
このとおり。

オバタンは、ほうき
の上に立ち上がり、

かた足上げて飛んだり、
さか立ちしたり。

「ヤッホー！　ホッホ、ホのホイホイホイ！」

もう、どっきり広場に飛んできても、だあれもこわがりません。

「ヤッホー！」

「ヤッホー！」

手をふって、オバタンのきょくのり飛行を楽しみます。

「さあ、今夜こそ、お月さままで飛んでって、月のかけらをとってきて、クッキー作って、食べさせてあげる。だれがついてくる？」

オバタンが、使い魔たちを見まわすと、

「ぼくが行く！」

「ぼくが行く！」

「ぼくが行く！」

「ぼくも行く！」

とうとう、みんな、ついてきました。

クッキーの本

なかよくみんなで、ほうきにのって、

「さあ、しゅっぱあつ！」

オバタンのほうきは元気よく、お月さま目ざして、飛んでいきました。

ぞくぞく村だより②号

オバタン監修
魔女特集

◆発行所◆
ぞくぞく村広報室

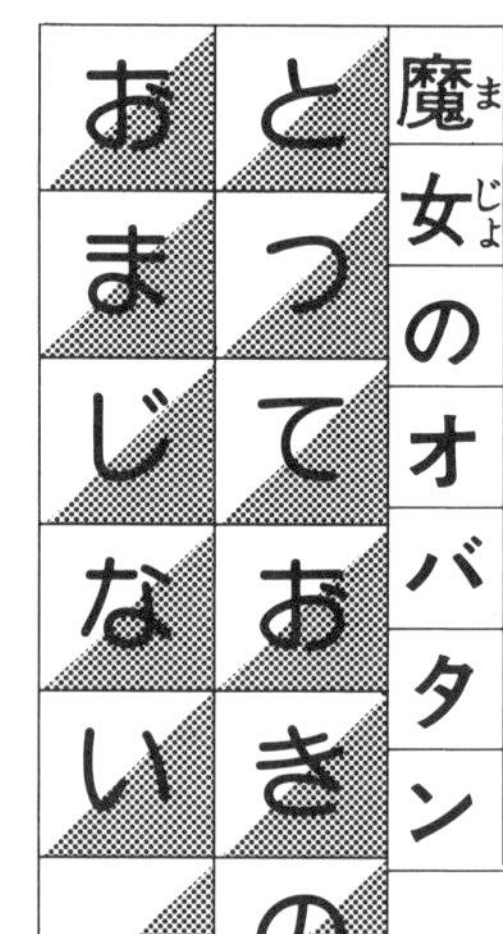

魔女のオバタン とっておきのおまじない

「信じる方だけ、すくわれるのよ！」

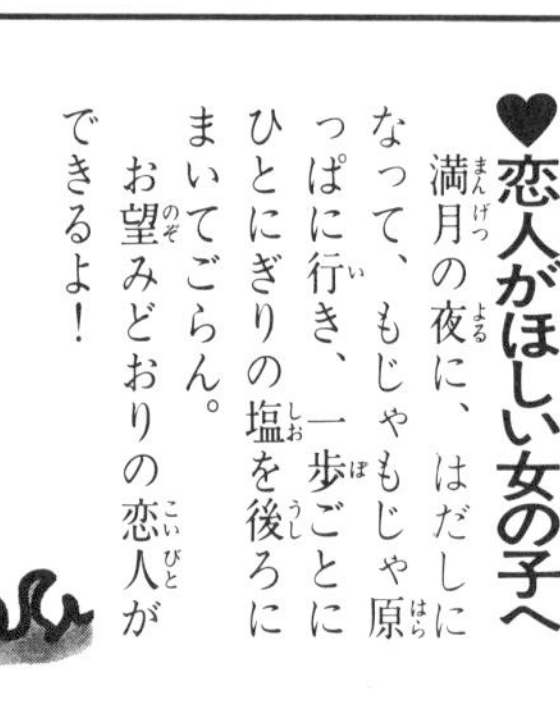

♥恋人がほしい女の子へ

満月の夜に、はだしになって、もじゃもじゃ原っぱに行き、一歩ごとにひとにぎりの塩を後ろにまいてごらん。

お望みどおりの恋人ができるよ！

♥恋人がほしい男の子へ

ぐずぐず谷の柳のはっぱを一まい取って、こなごなにさき、好きな女の子の食べ物にまぜる。女の子がほんのひときれでも、それを食べると、恋人になってくれるのさ。

フフフ。

☆ぬすまれたものを取り返したいとき

柳の小えだがもつれているのを見つけて、これをさらに、ぎゅっと結ぶの。すると、どろぼうがつかまるわよ！

☆頭がいたいとき

月がかけている間に、たまごの黄身で頭をこすって、ひそひそ川の水であらって、きれいにしてごらん。頭つうは、ぴたっと、とまるよ！

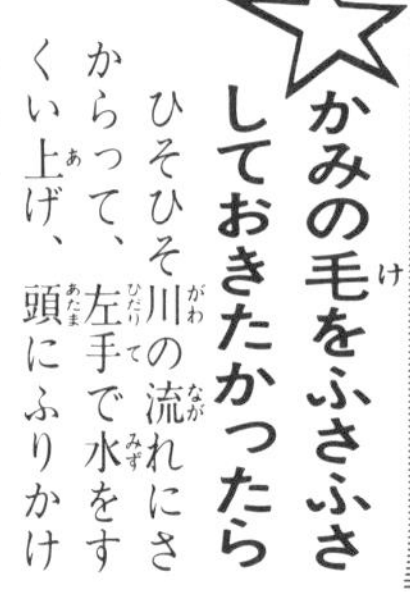

☆かみの毛をふさふさしておきたかったら

ひそひそ川の流れにさからって、左手で水をすくい上げ、頭にふりかけること！

★こうかんしましょ。

おれたり、ばらばらになったほうき、山ほどあります。

トイレットペーパーとこうかんしてちょうだい。

（魔女のオバタン）

おわび

ぞくぞく村だより1号にのせました、ほうたいのプレゼントは、数がたりませんでした。当たらなかった方、ごめんね。

（ミイラのラムより）

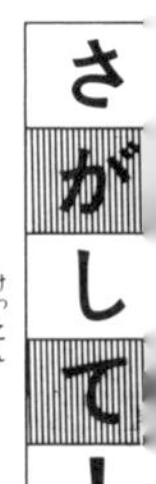

さがして！

だいじな結婚ゆびわをどこかへ落としてしまったんじゃよ。

ひろってくれた方には、ネクタイ一本、あげます。

（おしゃれおばけのおじいさんより）

おねがい

ぬるぬる池に、ゴミをすてないでください！

（妖精レロレロより）

★おおかみ男の歯いしゃより、お知らせ――

まん月の夜は、休みます。おおかみ男になるかぶた男になるか、わからないんだもん。

その日、急に歯がいたくなった人は、魔女オバタンにおまじないしてもらってちょうだい。

たまには、おまじないで、なおることもあるでしょう。

ありがとう

ゴブリンさんちの、七つ子の赤ちゃんの名前が決まりました。

みなさん、いろいろ考えてくれて、ありがとう。

1、ヌラリン
2、クラリン
3、パクリン
4、コロリン
5、ベロリン
6、チクリン
7、リンリン

●「埼玉県の関芽紅ちゃんほか、たくさんのおたより、ありがとう。」
（ゴブリンより）

✳おたよりください◆あてさき◆東京都千代田区西神田三―二―一あかね書房「ぞくぞく村」係

作者　**末吉暁子**（すえよし　あきこ）
神奈川県生まれ。児童図書の編集者を経て、創作活動に入る。『星に帰った少女』（偕成社）で日本児童文学者協会新人賞、日本児童文芸家協会新人賞受賞。『ママの黄色い子象』（講談社）で野間児童文芸賞、『雨ふり花さいた』（偕成社）で小学館児童出版文化賞、『赤い髪のミウ』（講談社）で産経児童出版文化賞フジテレビ賞受賞。長編ファンタジーに『波のそこにも』（偕成社）が、シリーズ作品に「きょうりゅうほねほねくん」「くいしんぼうチップ」（共にあかね書房）など多数がある。垂石さんとの絵本に『とうさんねこのたんじょうび』（BL出版）がある。2016年没。

画家　**垂石眞子**（たるいし　まこ）
神奈川県生まれ。多摩美術大学卒業。絵本に『ライオンとぼく』（偕成社）、『おかあさんのおべんとう』（童心社）、『もりのふゆじたく』『きのみのケーキ』『あたたかいおくりもの』『あいうえおおきなだいふくだ』『あついあつい』（以上福音館書店）、『メガネをかけたら』（小学館）、『わすれたって、いいんだよ』（光村教育図書）、『けんぽうのえほん　あなたこそたからもの』（大月書店）などがある。挿絵の作品に『かわいいこねこをもらってください』（ポプラ社）など多数。日本児童出版美術家連盟会員。
垂石眞子ホームページ
http://www.taruishi-mako.com/

ぞくぞく村のおばけシリーズ②　**ぞくぞく村の魔女のオバタン**

発　行＊1989年12月第1刷　2024年7月第64刷　NDC913　79p　22cm
作　者＊**末吉暁子**　画家＊**垂石眞子**
発行者＊岡本光晴
発行所＊**あかね書房**　東京都千代田区西神田3－2－1／TEL 03－3263－0641(代)
印刷所＊錦明印刷(株)　写植所＊千代田写植　製本所＊(株)難波製本

ISBN978-4-251-03672-8